MICHAEL LANGER · FERDINAND NEGES

Play Guitar POWERSTEPS 2

Play Guitar Powersteps - die ideale Fortsetzung für jede Anfängerschule

- Die wichtigsten Gitarren-Tonarten Schritt für Schritt
- 34 leicht spielbare Highlights der Unterrichtsliteratur
- Didaktisch durchdacht, mit klar strukturiertem Aufbau
- Learn & Play inklusive Audio-Download 

Die Audiodateien stehen hier zum Download zur Verfügung:

https://download.dux-verlag.de

Download-Code: 4r8n-ko72

Hinweis: Die Dateien werden in einem ZIP-Archiv heruntergeladen und müssen vor dem Abspielen entpackt werden.

Die Audiodateien sind auf den gängigen Streaming-Plattformen verfügbar (z. B. Spotify).

Spotify-Playlist:
Play Guitar Powersteps 2

Impressum

D 3520 / ISMN 979-0-50017-583-4 / ISBN 978-3-86849-410-5

Audioaufnahmen: Michael Langer, Gitarre
Studio: Studio Legale, Wien
Layout und Notensatz: Michael Langer
Umschlaggestaltung: Bertram Bergner, Tollwerk GmbH
Titelfoto: Bild von Luca auf Pixabay

www.dux-verlag.de

Die Autoren bedanken sich bei Sabine Ramusch
und bei Gerhard und Uwe vom DUX-Verlag

Einleitung

Die beiden „Play Guitar Powersteps"-Ausgaben haben sich zum Ziel gesetzt, in insgesamt acht Kapiteln („Powerstep 1-8") markante Lernfortschritte zu ermöglichen. Der Schwierigkeitsgrad bleibt dabei konsequent im Bereich „sehr leicht" bis „leicht".

Durch ihren didaktisch durchdachten Aufbau und die Stückauswahl sind die beiden Bände auch als Wiederholung und Festigung von bereits Gelerntem bestens geeignet und können überdies dazu beitragen, eventuell bestehende Lücken schließen zu helfen.

Die Möglichkeit, sich innerhalb einer klar gegliederten Struktur eingehend mit einzelnen (präzise eingegrenzten) Themen zu befassen, macht diese Ergänzung der Play-Guitar-Reihe zum idealen Anschluss für alle gängigen Lehrwerke, besonders Play Guitar 1 und Play Guitar Junior.

Powerstep 1 hat zum Ziel, die Vertrautheit mit dem Griffbrett in den wichtigsten Lagen zu erhöhen. Der Tonraum der Lagen I-V, VII und IX wird zunächst jeweils mit einstimmigen Übungen und Melodien aufbereitet. Zusätzlich gibt es noch einfache, zweistimmige Solostücke, die den Fokus auf dem eigentlichen Thema, also verbesserte Kenntnis der höheren Positionen, belassen.
Powerstep 2 ist mit dem Thema „Zweistimmige Zerlegungen" der erste Schritt in das große Kapitel „Tirando-Spiel". Sehr bewusst wurden für einen erleichterten Start Stücke ausgewählt, die viele Passagen auf benachbarten Saiten beinhalten, in denen beide Stimmen ineinanderklingen sollen, also ein Anlegen in Ober- oder Unterstimme weder sinnvoll noch leicht ausführbar wäre.
Powerstep 3 bringt eine Fortsetzung des Themas „Tirando-Spiel" mit dreistimmigen Zerlegungen. Eine sorgsam geplante Stückauswahl garantiert, dass eine Vielzahl an Anschlagsmustern zum Einsatz kommt.
Powerstep 4 setzt die originelle Stückauswahl fort, jedoch weiterführend mit dem Fokus auf „Vierstimmigen Zerlegungen". Eine maßgebliche didaktische Grundidee zum Thema „Tirando-Spiel", die nachvollziehbare Systematisierung von Akkordzerlegungen durch fixe Saitenzuordnung der anschlagenden Finger, wird ebenfalls konsequent durchgeführt.

2 **Powerstep 5** stellt die für Gitarrenmusik bestgeeigneten Tonarten (C-Dur, G-Dur, D-Dur, a-Moll, A-Dur, e-Moll, E-Dur) vor. Die diesem umfangreichen Abschnitt zugrunde liegende Systematik umfasst für die jeweilige Tonart immer eine Tonleiter, Lagenwechsel-Übungen, eine berühmte Tonleiterstelle aus der Gitarren-Literatur, die wichtigsten Akkordverbindungen im Dominant-Tonika-Schema sowie einfache Spielstücke, deren Schwerpunkt weiterhin auf elementaren Akkordzerlegungen liegt.
Powerstep 6 bringt eine erste Begegnung mit Aufschlags- und Abzugsbindungen. Ein wichtiges Kriterium bei der Stückauswahl für dieses Thema war ein möglichst hürdenfreier Einstieg in diese neue Technik durch bewusste Beschränkung auf einfachste Kombinationen.
Powerstep 7 ist dem Thema „Barré-Griffe" gewidmet, wobei im Hinblick auf die leichte Spielbarkeit nur der „kleine Quergriff" über zwei bzw. drei Saiten benötigt wird.
Powerstep 8 beschäftigt sich abschließend mit dem Thema „Vorhalt".
Musikalische Rhetorik und ihre elementarsten Regeln können hier in allereinfachster Form erfahren und in ersten Ansätzen auch erlernt werden.

INHALTSVERZEICHNIS:

	Einleitung		Seite 3
	Inhaltsverzeichnis		4
	Powerstep 5 - Meine „Gitarren“-Tonarten		7
	C-Dur		8
01	Wiegenlied	(Schubert/arr. Neges)	9
02	Andantino	(Henry)	10
03	Romeo und Julia	(Langer)	11
	G-Dur		12
04	Banjo Joe	(Wright)	13
05	Highland	(Langer)	14
06	A Waltz	(Muro)	14
07	Stand By Me	(King)	15
	D-Dur		16
08	Prelude D-Dur	(Carcassi)	17
09	Rugiero	(Calvi)	17
10	Schwindlig spielen	(Langer)	18
11	Sole ed ombre	(Antitomaso)	19
	a-Moll		20
12	Tango Porteño	(Paradiso)	21
13	Asturias	(Albéniz)	22
14	Down South	(Langer)	23
	A-Dur		24
15	Der fliegende Fluss	(Langer)	25
16	Twinkle, Twinkle, Little Star	(Trad./arr. Cottin)	26
17	Canzone Pop	(Antitomaso)	26
	e-Moll		28
18	Der Grinsemond	(Langer)	29
19	Soñando	(Zenamon)	30
20	Milonga de Melisso	(Langer)	31
	E-Dur		32
21	Friedlich	(Langer)	33
22	Irish Guitar Fiddle	(Langer)	34

Powerstep 6 - Bindungen 35

23 Helden der Prärie (Neges) 36
24 Helden am Heimweg (Langer) 36
25 Villanesca (Muro) 37
26 Up West (Langer) 38
27 Down West (Langer) 39
28 Perfect Wave (Langer) 40

Powerstep 7 - Barrégriffe 41

29 Ein feiner Barré (Langer) 42
30 Valse (Boulley) 42
31 Sundowner (Langer) 43

Powerstep 8 - Vorhalte 44

32 Canção triste (Lopes) 45
33 Dédicace (Demillac) 46
34 Vals (Carcassi) 46

Überblick 48

Powerstep 5

THEMA: **Meine „Gitarren"-Tonarten**

Streicht man über die leeren Saiten der Gitarre bzw. vergleicht man die Akkordgriffe verschiedener Tonarten, wird schnell klar, dass manche Tonarten auf der Gitarre leichter zu spielen sind als andere.
Zu diesen einfacher zu spielenden „Gitarre"-Tonarten zählen C-Dur, G-Dur, D-Dur, a-Moll, A-Dur, e-Moll und E-Dur.
Hier wollen wir sie euch alle vorstellen, mit jeweils dem gleichen Aufbau:

1. die Tonleiter in der I. oder II. Lage
2. zwei Lagenwechsel-Übungen: direkter Lagenwechsel („Gleiten") und indirekter Lagenwechsel („Ersetzen")
3. eine Tonleiterstelle aus einem berühmten Gitarrenstück
4. vielgespielte Akkordverbindungen: V. Stufe (Dominante) gefolgt von der I. Stufe (Tonika)
5. drei Seiten mit einfachen Spielstücken, der Schwerpunkt liegt auf den gängigen Akkordzerlegungen der jeweiligen Tonart

ÜBETIPP: Lerne die Tonleiter (1.) und die Akkordstudie (4.) auswendig und wiederhole sie regelmäßig! Du wirst erstaunt sein, wie diese Elemente immer wieder in verschiedenen Zusammenhängen auftauchen und wie schnell du dann auf bereits Bekanntes aufbauen kannst!

ZIELE: Neben dem schon erwähnten Kennenlernen der gängigsten Tonarten für die Gitarre haben wir in diesem Kapitel auch das Ziel, die zwei-, drei- und vierstimmige Akkordzerlegungen aus Band 1 (Powersteps 2-4) weiterzuführen. In Band 2 kommen diese verschiedenen Zerlegungen nicht mehr streng voneinander getrennt vor, sondern werden auch kombiniert.

Genau ausgeführte Fingersätze für die rechte und linke Hand sollen dir helfen, die im 1. Band erlernten Inhalte in neuem Zusammenhang anzuwenden.

C-Dur

Tonleiter in C-Dur, I. Lage

Lagenwechsel: Ersetzen

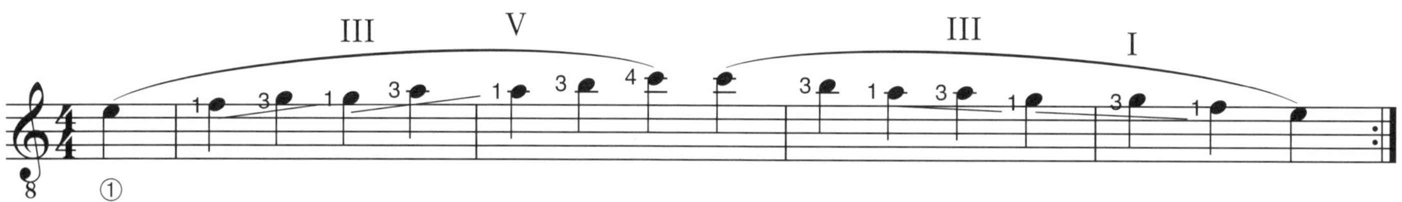

Lagenwechsel: Gleiten

The Ultimate Scale Challenge:

aus Napoléon Coste (1805-1883) - Prelude C-Dur op. 38 Nr. 12

Verbindungen Septakkord - Tonika-Akkord in C:

01 Wiegenlied

Franz Schubert
arr.: Ferdinand Neges

02 Andantino

Bénigne Henry

03 Romeo und Julia

Michael Langer

G-Dur

Tonleiter in G-Dur, I. Lage

Lagenwechsel: Ersetzen

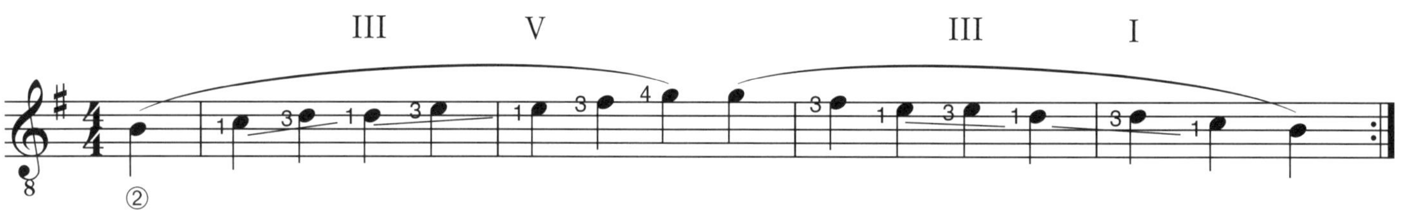

Lagenwechsel: Gleiten

The Ultimate Scale Challenge:
aus Emilio Pujol (1886-1980) - Guajira

Verbindungen Septakkord - Tonika-Akkord in G:

04 Banjo Joe

Richard Wright

05 Highland

Michael Langer

06 A Waltz

Antonio Muro

07 Stand By Me

Ben E. King
arr.: Langer/Neges

D-Dur

Tonleiter in D-Dur, II. Lage

Alternativ: Du kannst d (4), g (4), h (3) und e (4) auch als leere Saite spielen.

Lagenwechsel: Ersetzen

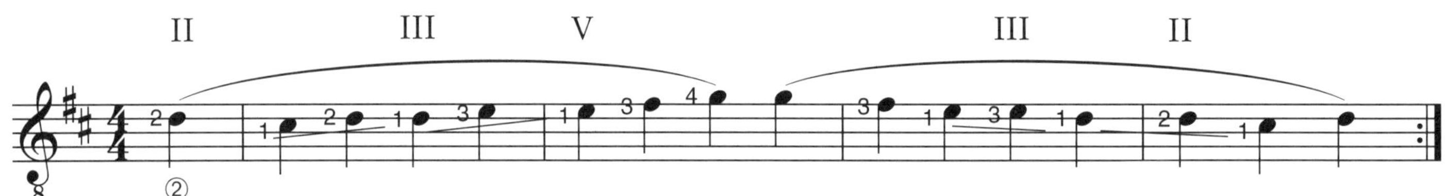

Lagenwechsel: Gleiten

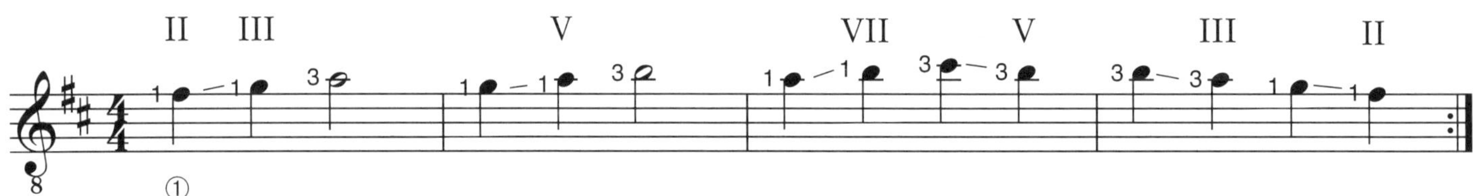

The Ultimate Scale Challenge:

aus Matteo Carcassi (1792-1853) - Larghetto op. 60 Nr. 14

Verbindungen Septakkord - Tonika-Akkord in D:

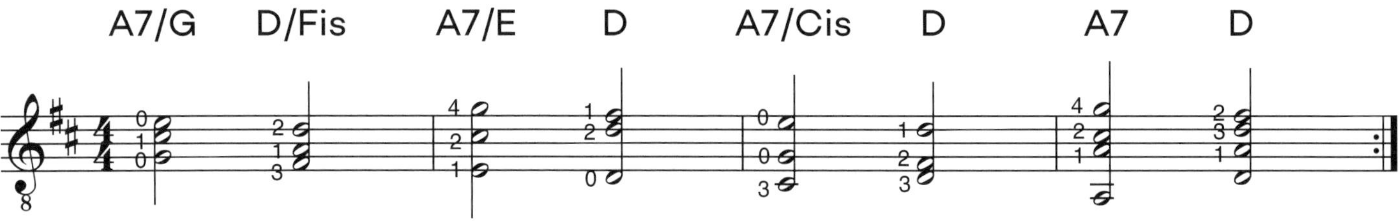

08 Prelude D-Dur

Matteo Carcassi

09 Rugiero

Carlo Calvi

10 Schwindlig spielen

Michael Langer

11 Sole ed ombre

Cosimo Antitomaso

a-Moll

Tonleiter in a-Moll, I. / II. Lage: melodisch Moll

Lagenwechsel: Ersetzen

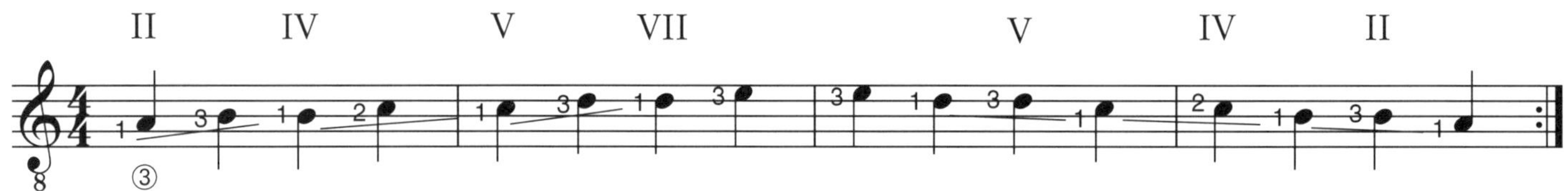

Lagenwechsel: Gleiten

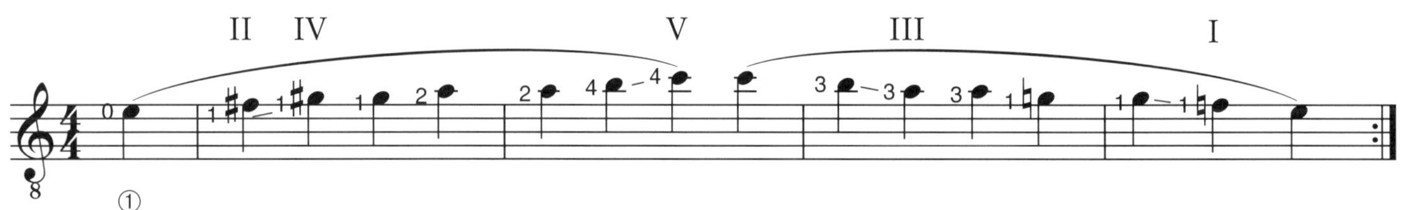

The Ultimate Scale Challenge:
aus Antonio Lauro (1917-1986) - La Gatica: harmonisch Moll

Verbindungen Septakkord - Tonika-Akkord in Am:

12 Tango Porteño

Vito Nicola Paradiso

13 Asturias gekürzt

Isaac Albéniz

14 Down South

Michael Langer

A-Dur

Tonleiter in A-Dur, I. / II. Lage

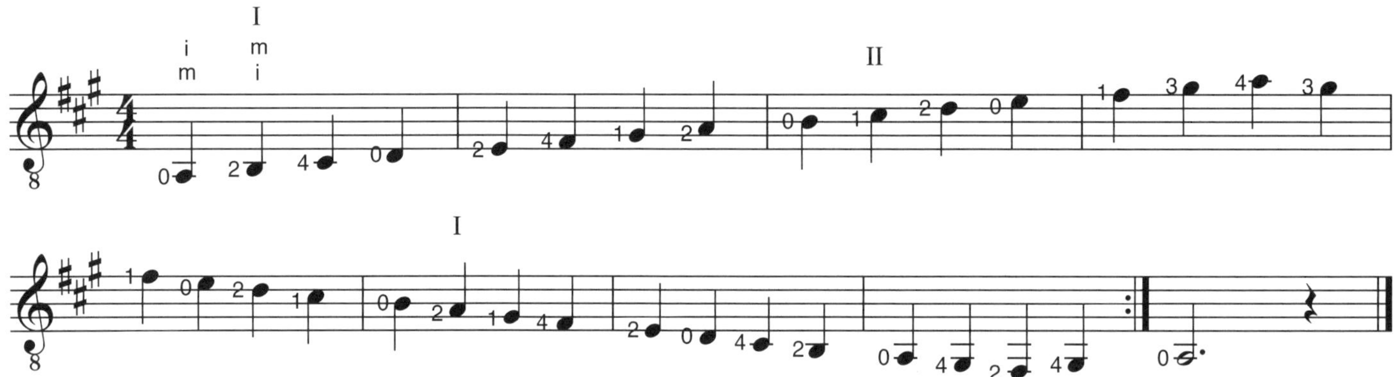

Lagenwechsel: Ersetzen

Lagenwechsel: Gleiten

The Ultimate Scale Challenge:
aus Francisco Tárrega (1852-1909) - Preludio A-Dur

Verbindungen Septakkord - Tonika-Akkord in A:

15 Der fliegende Fluss

Michael Langer

16 Twinkle, Twinkle, Little Star

Traditional, arr.: Alfred Cottin

17 Canzone Pop

Cosimo Antitomaso

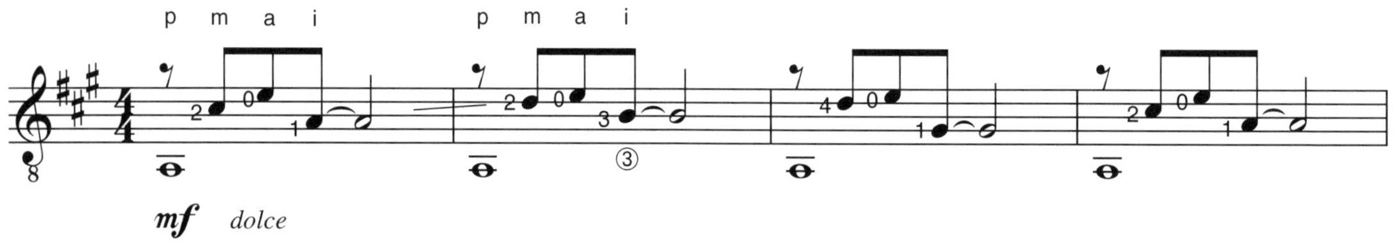

Fine
m i m
1.
2.
II
i m i
m i m
f
I
II
I
1.
2.
D.C. al Fine

e-Moll

Tonleiter in e-Moll, I. Lage: melodisch Moll

Lagenwechsel: Ersetzen

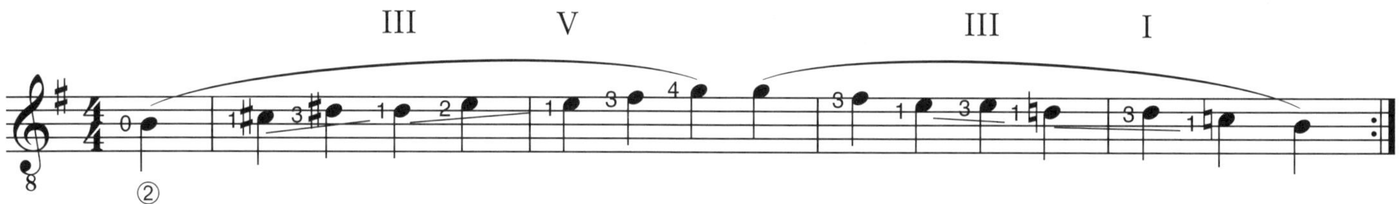

Lagenwechsel: Gleiten

The Ultimate Scale Challenge:
aus Paco de Lucía (1947-2014) - Entre dos aguas

Verbindungen Septakkord - Tonika-Akkord in Em:

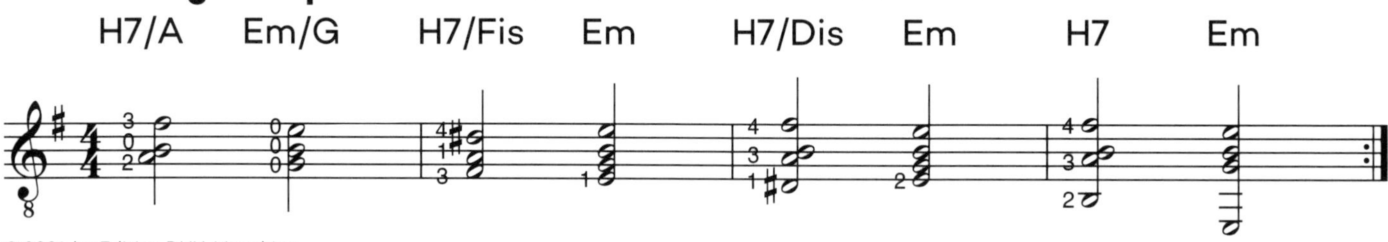

18 Der Grinsemond

Michael Langer

19 Soñando

Jaime Zenamon

20 Milonga de Melisso

Michael Langer

E-Dur

Tonleiter in E-Dur, I. Lage

Lagenwechsel: Ersetzen

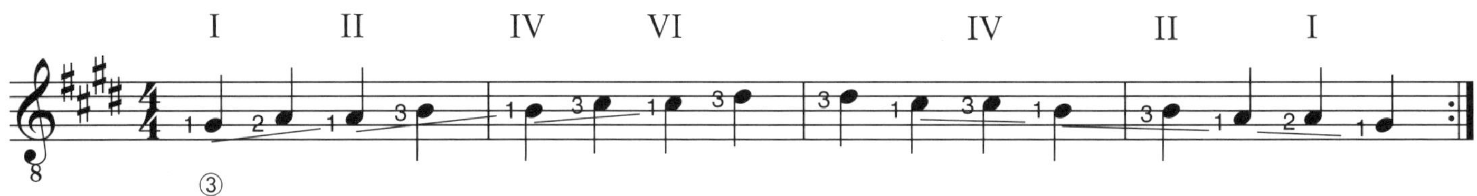

Lagenwechsel: Gleiten

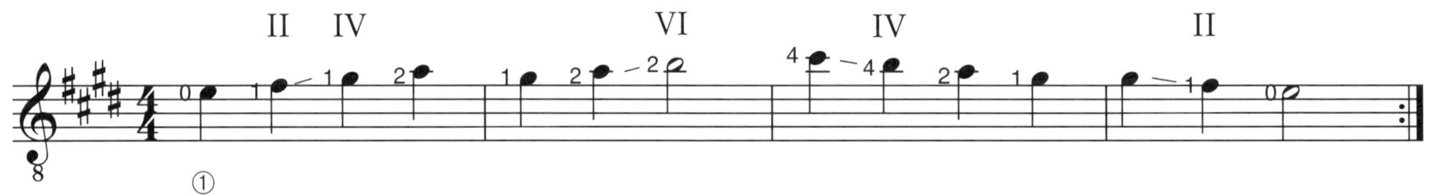

The Ultimate Scale Challenge:

aus Heitor Villa-Lobos (1887-1959) - Étude Nr. 7

Verbindungen Septakkord - Tonika-Akkord in E:

H7/A E/Gis H7/Fis E H7/Dis E H7 E

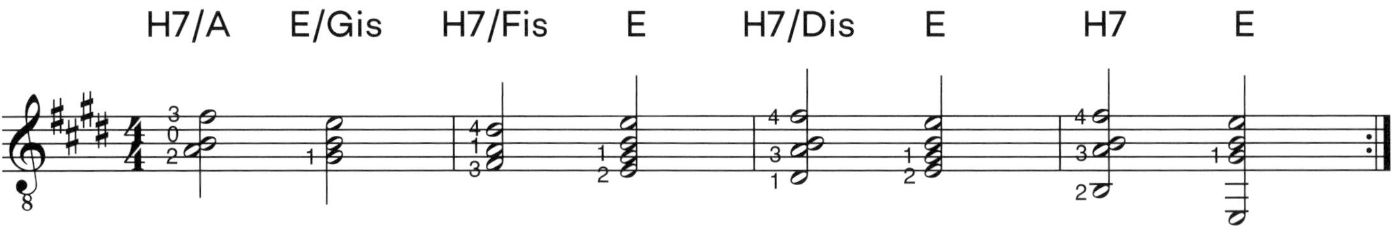

21 Friedlich

Michael Langer

22 Irish Guitar Fiddle

Michael Langer

Powerstep 6

THEMA: **Bindungen**

Die Bindetechnik ist eine willkommene Alternative zum Legatospiel auf der Gitarre. Wir unterscheiden Aufschlags- und Abzugsbindungen.
Bei der Aufschlagsbindung wird der tiefere Ton angeschlagen und der höhere (auf derselben Saite) mit einem Finger der linken Hand aufgeklopft.
Bei der Abzugsbindung wird der höhere Ton angeschlagen und der tiefere (auf derselben Saite) mit einem Finger der linken Hand abgezogen.

Bei den folgenden Stücken haben wir uns auf einfachste Kombinationen beschränkt, um einen hürdenfreien Einstieg in diese Technik zu ermöglichen.

ÜBETIPP: Erfinde deine eigenen Vorübungen! Zum Beispiel: Im Zentrum von „Helden der Prärie“ steht die Aufschlagsbindung 0-2, bei „Helden am Heimweg“ geht es um die Abzugsbindung 2-0. Übe diese beiden Bindungen in der 1. Lage auf allen Saiten: zuerst normal anschlagen, dann aufklopfen bzw. abziehen.

ZIELE: Ziel ist eine klanglich sichere und rhythmisch genaue Ausführung der Bindetechnik.

23 Helden der Prärie

Ferdinand Neges

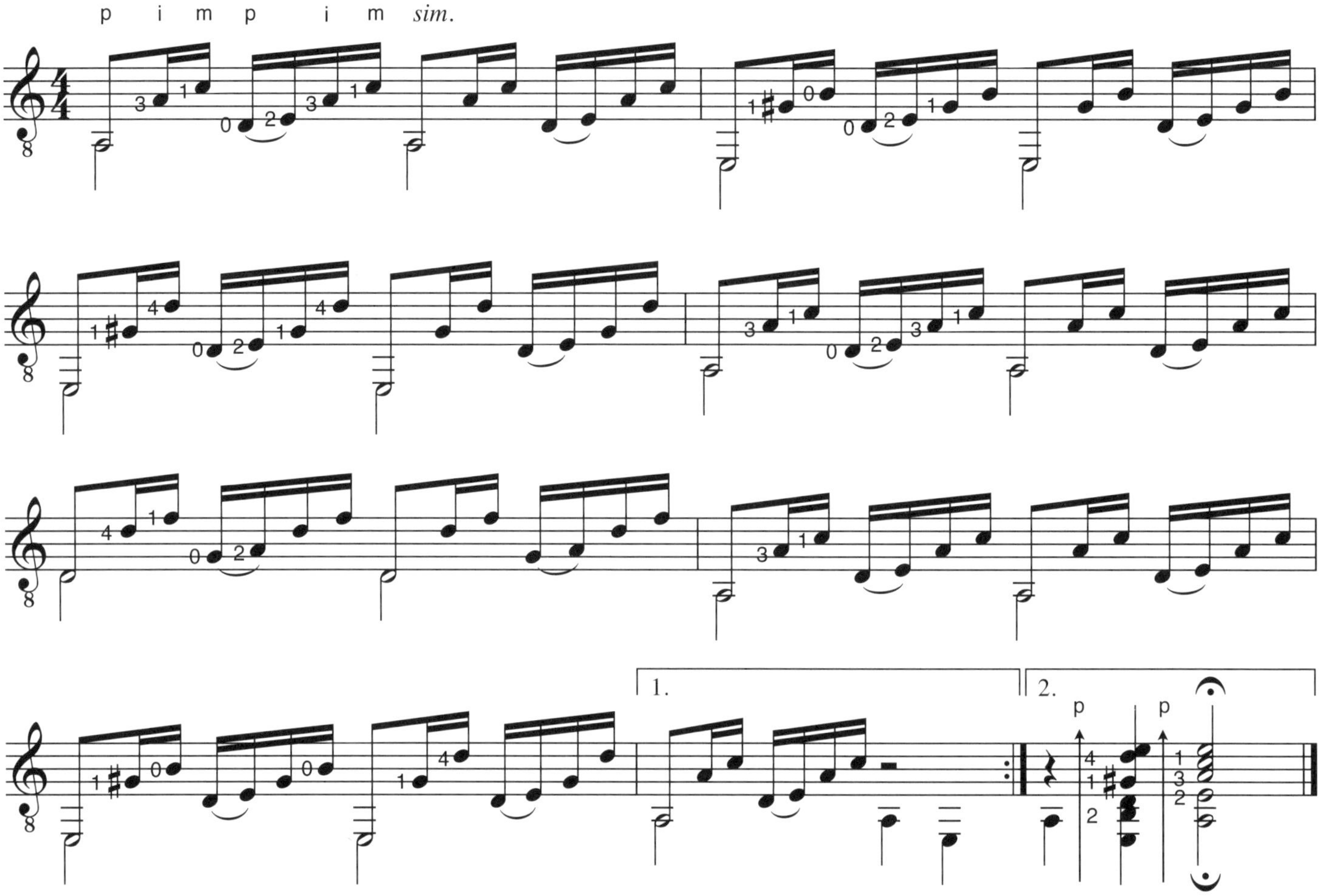
p i m p i m sim.
1.
2.

24 Helden am Heimweg

Michael Langer

i m p i m

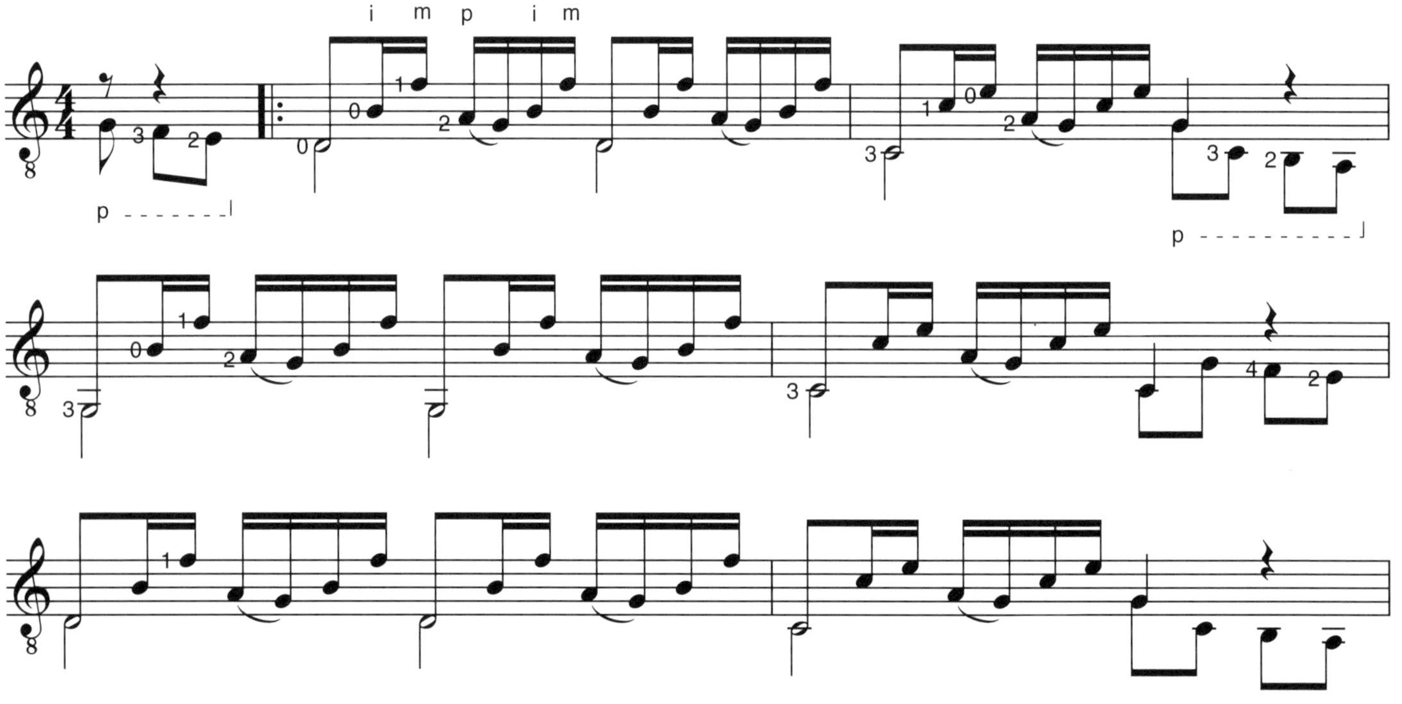

1.
2.

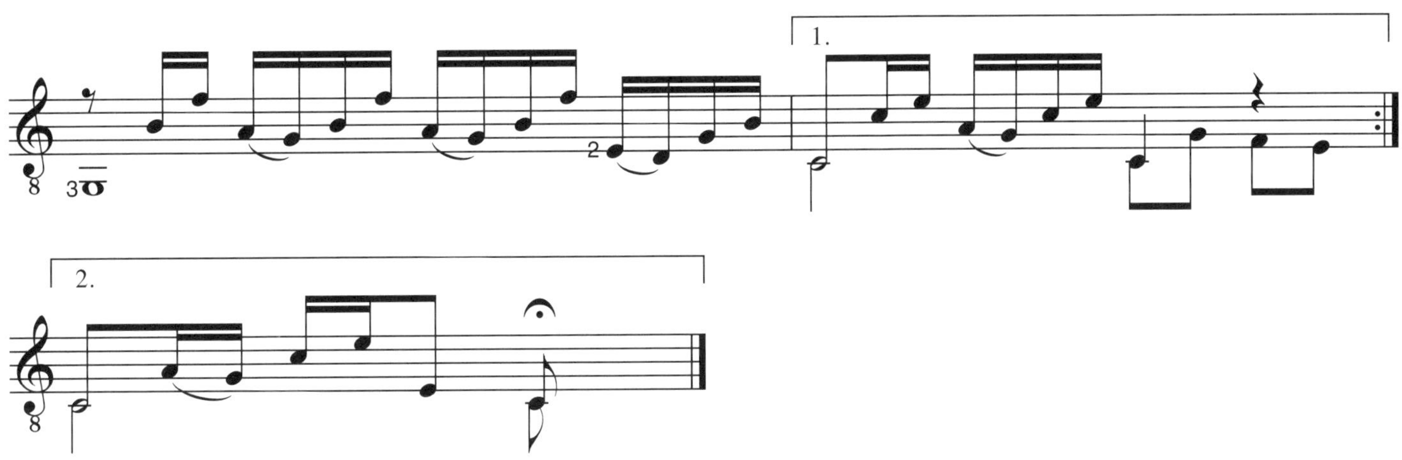

25 Villanesca

Antonio Muro

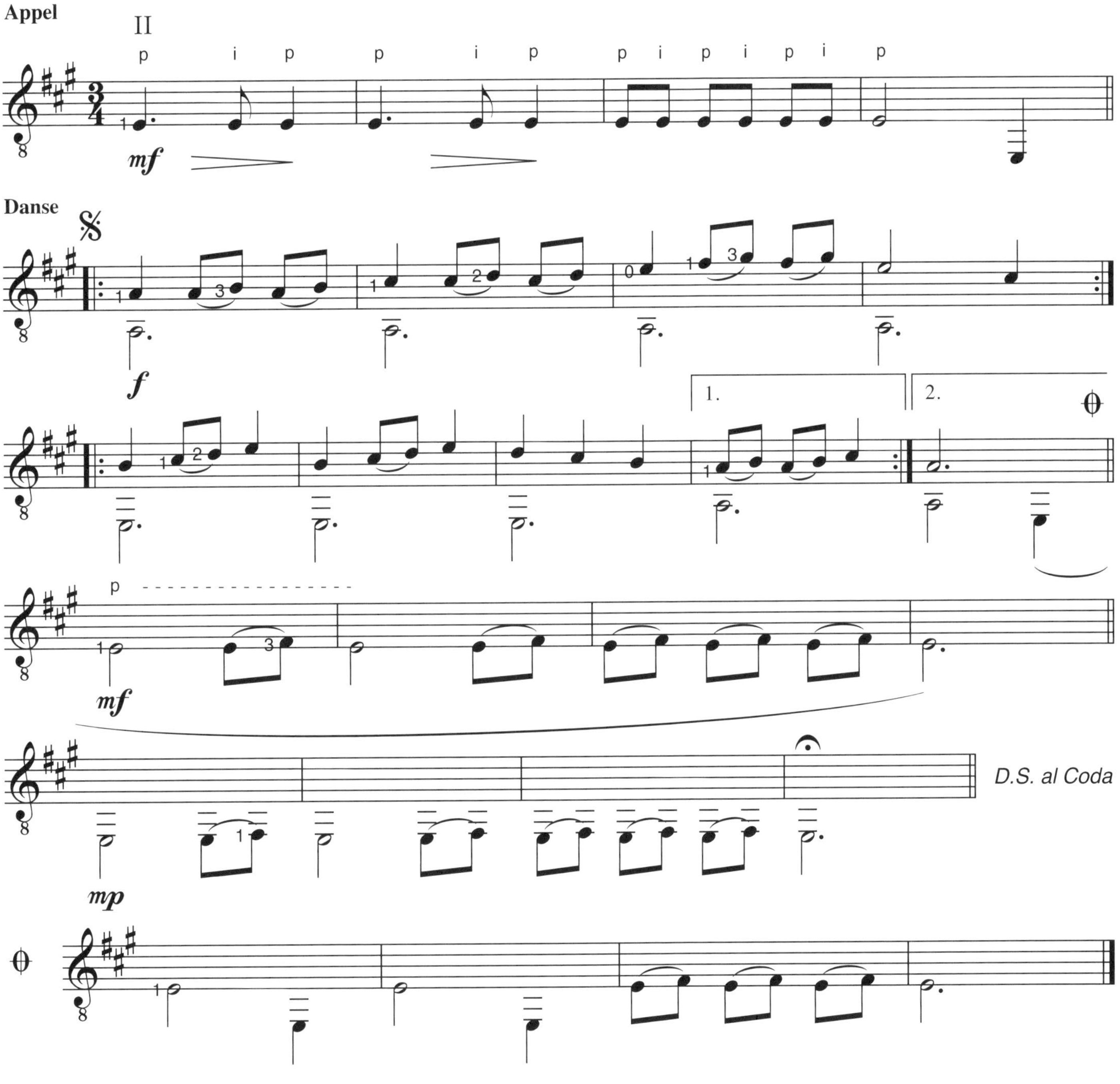
Appel
II
p i p p i p p i p i p i p
mf
Danse
f
1.
2.
p
mf
mp
D.S. al Coda

26 Up West

Michael Langer

27 Down West

Michael Langer

28 Perfect Wave

Michael Langer

Powerstep 7

THEMA: **Barrégriffe**

Als Einstieg in die Barrégriff-Technik beschäftigen wir uns im folgenden Kapitel mit dem sogenannten „kleinen Quergriff". Dabei wird der Zeigefinger – wie der Name „Quergriff" schon schön beschreibt – quer über die ersten zwei bzw. drei Saiten gelegt. So kann man mit einem Finger mehrere Saiten niederdrücken und kompliziertere Akkorde meistern.

„Ein feiner Barré" und „Valse" machen mit dem Quergriff über zwei Saiten vertraut, das Stück „Sundowner" stellt den Barrégriff über drei Saiten vor. Es wird der reine Quergriff gegriffen und auch die Kombination mit dem 2. Finger auf der dritten Saite geübt.

ÜBETIPP: Um Ausdauer und Kraft für den Quergriff zu trainieren, aber dabei die Hand nicht zu überfordern, gilt es, die Anstrengung zu dosieren: Quergriff- und normales Spiel gut abzuwechseln.
Das wird mit den folgenden drei Stücken garantiert.

ZIELE: Der Quergriff ist eine neue Bewegung der linken Hand und erfordert regelmäßiges Training, um die daran beteiligten Muskeln zu stärken.

29 Ein feiner Barré

Michael Langer

30 Valse

Prudent-Louis Boulley

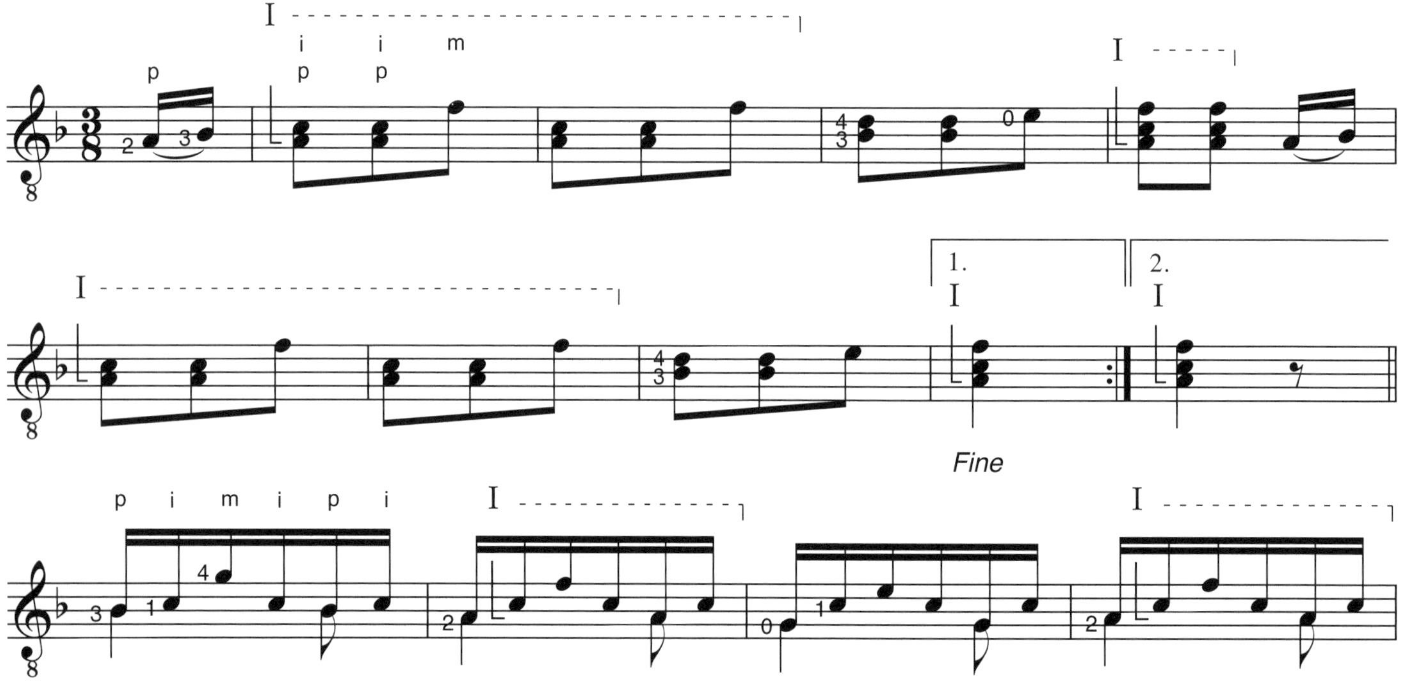

31 Sundowner

Michael Langer

Powerstep 8

THEMA: **Vorhalte**

Die drei abschließenden Stücke dieses Bandes beschäftigen sich mit einem fortgeschrittenen, aber für ein geglücktes Gitarrenspiel eminent wichtigen Thema: die Musik als Sprache.
Sieht man die melodischen Phrasen als Sätze und die einzelnen Akkorde bzw. Töne als Worte, verlangt das nach deutlicher Aussprache - Betonungen, Schwerpunkte, generell Dynamik in beiden Richtungen: laute wie leise Töne. Dafür gibt es Regeln, eingespielte Floskeln. Mit einer dieser Floskeln möchten wir dich hier als Anregung für lebendiges Gitarrenspiel vertraut machen.

Es ist die Dreierfolge: Auftakt - Vorhalt - Auflösung
Der Auftakt steht vor dem Taktstrich, ist eine Note (Akkord), die mit Crescendo zur 1 des nächsten Taktes hinführt.
Der Vorhalt ist eine Note auf betonter Taktzeit (hier die Zählzeit 1), die aber dissonant (spannungsreich) zur zugrundeliegenden Harmonie bzw. dem unter ihr gespielten Basston steht.
Die Auflösung folgt sogleich und löst die harmoniefremde Note (den Vorhalt) in eine harmonische (zum Grundton bzw. zugrundeliegenden Akkord) Note mit Decrescendo auf.
Werden diese drei Töne „verbunden", gerät selbst eine harmonisch biedere Floskel zu einem musikalischen Ereignis! Apropos „verbunden": Unterlegst du Auftakt (ver-), Vorhalt (bun-), Auflösung (-den) mit diesem Wort, ergibt sich die musikalisch richtige Betonung wie von selbst.

ÜBETIPP: Bevor du die Floskel übst, präge dir die Grundharmonien ein. Bei „Dédicace" und „Canção triste" steht der Grundton der Harmonie im Bass und man hört gut die Reibung und Auflösung in der Melodie. Beim „Vals" ist die zugrunde liegende Harmonie (Beginn 3. Zeile) G - C - G - C - G - C. Also steht auf Zählzeit 1 im ersten Takt ein Doppelvorhalt Quart (c) und Sext (e), der sich in die Terz (h) bzw. Quint (d) auflöst.

ZIELE: Das Ziel ist einfach formuliert: Egal ob du die harmonische oder melodische Spannung spürst oder verstehst, setze sie in Dynamik um und mache Musik zur Sprache!

32 Canção triste

Edson Lopes

33 Dédicace

Yvon Demillac

Auftakt - Vorhalt - Auflösung

sim.

mf

sfz

rall.

34 Vals

Matteo Carcassi

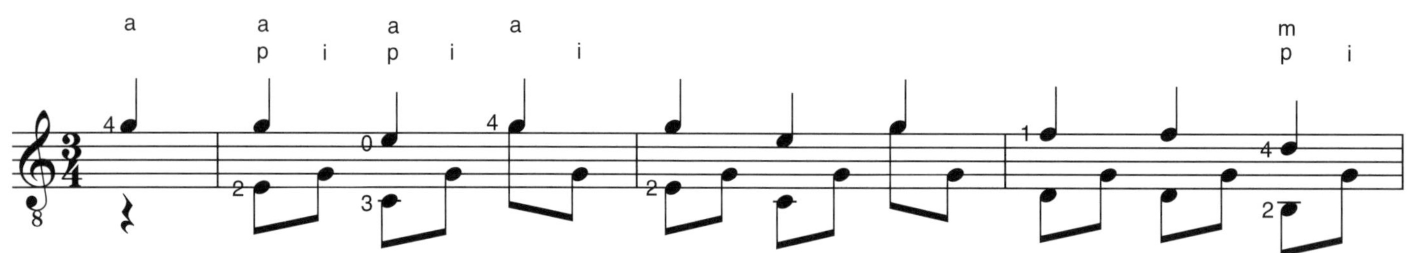

Auftakt - Vorhalt - Auflösung
sim.
sim.

MICHAEL LANGER · FERDINAND NEGES

Play Guitar

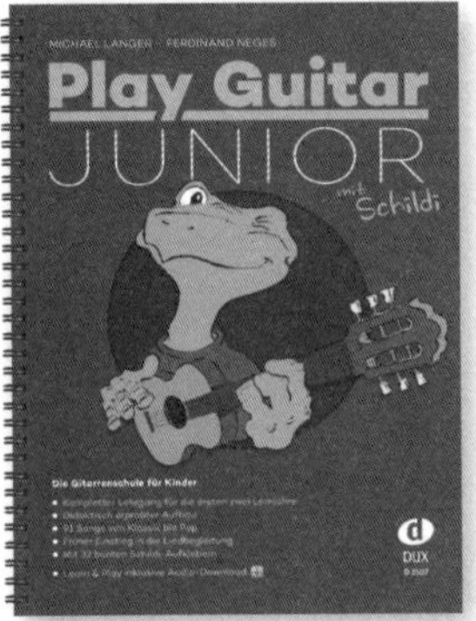

Play Guitar – Gitarrenschule Band 1
D 3501/ISBN 978-3-86849-258-3

Play Guitar – Gitarrenschule Band 2
D 3502/ISBN 978-3-86849-259-0

Play Guitar Junior mit Schildi
D 3507/ISBN 978-3-86849-264-4

Play Guitar Together Band 1
D 3505/ISBN 978-3-86849-262-0

Play Guitar Together Band 2
D 3506/ISBN 978-3-86849-263-7

Play Guitar Spielbuch
D 3508/ISBN 978-3-86849-265-1

Play Guitar Powersteps 1
D 3519/ISBN 978-3-86849-409-9

Play Guitar Powersteps 2
D 3520/ISBN 978-3-86849-410-5

Play Guitar in Concert
D 3511/ISBN 978-3-86849-274-3

Play Guitar in Concert - Zugaben
D 3516/ISBN 978-3-86849-395-5

Play Guitar - Welcome to Vienna
D 3517/ISBN 978-3-86849-402-0

Play Guitar Christmas mit Schildi
D 3509/ISBN 978-3-86849-266-8

Play Guitar Christmas Special
D 3510/ISBN 978-3-86849-267-5

Play Guitar Erste Weihnacht
D 886/ISBN 978-3-86849-332-0

www.dux-verlag.de